ANATOMÍA ROTA

Cynthia Sabat

ANATOMÍA ROTA

Sus palabras. Nuestras letras.

1ª edición, 2006

Impreso en Argentina
Queda hecho el depósito que proviene la ley 11.723

© **iRojo Editores**
F. D. Roosevelt 1877 - 4º Piso
Oficina 4 - Horizonte I, Buenos Aires
Tel.: 4780-2514
info@irojo.com.ar
www.irojo.com.ar

Diseño de tapa e interior:
Daniela Rombolá
danielarombola@fibertel.com.ar

ISBN 987-22688-0-0

Sabat, Cynthia

Anatomía rota - 1a ed. - Buenos Aires: Irojo Editores, 2006.

64 p. ; 20x14 cm.

ISBN 987-22688-0-0

1. Poesía Argentina. I. Título
CDD A861

A Amelia Delfino y Alfonso Rey

Me represento: un objeto que atrae,
la llama
brillante y ligera
consumiéndose en sí misma,
aniquilándose
y revelando de esta manera el vacío,
la identidad de lo que atrae,
de lo que embriaga
y del vacío;

Me represento
el vacío
idéntico a una llama,
la supresión del objeto
revela la llama
que embriaga
e ilumina.

Georges Bataille

I

No es la "revelación" la que espera,
sino nuestros desguarnecidos ojos.

Emily Dickinson

NICTOGrama

porque no hay nada que hacer con la noche
abierta desde los ojos
revuelve la oscuridad sin aire

sombra tras sombra
interminable párpado reseco

nunca el sueño sanará la llaga

un siglo del cuerpo perdido lejano
encrucijado en sí

ve pasar el tiempo
ve crecer la madrugada otra vez
como el soplo de un muerto en la nuca

espera el espectáculo del día.

marca de venus

como un desesperado manojo de rezos
quedó atrás
el gesto de nacer
                    profundo requiem
pulsión desordenada
de beberse todo con los nervios

esa ficción que es el placer
clavada sin remedio en la lengua

habrá que desnudar al verdugo
habrá que atarlo hasta sangrar habrá que morir por él
ese salto en el sinfín del salto en el sinfín
                                    suelo olvidar mi canto

puro ombligo peligroso
perdida como todas
enredada
inmóvil

respiro

y ensucio.

imago

navegando la noche
quietos en el límite
entre una muerte y otra

el mar nos arrancó el corazón
y nos dejó
sólo agua en el pecho

agua para latir
de universo negro

ilusión
dolor celeste

de repente
el cuerpo se pierde en el abrazo
del agua y la noche
en pleno canto.

LOS DÍAS QUEMADOS

I

El mundo no sería más que este orden

el pan del veneno y el vino
bajo una misma marca de amargura que los nombra

podría limitarse
a la descascarada ansiedad de los días

podría obedecer
en la misma proporción
a la ley de las sombras y al dorado azar
y el mundo no sería más que una batalla

caprichoso nudo de memoria en las muñecas

II

aquí el fuego nos dibuja la cara
        nos muerde el pecho

como el dedo del ciego lee leo las llamas
prisionera de la noche sin borde

estarse quieto así es desmayarse en un sueño de cenizas
de días quemados
o morir en plena contemplación de algunas cosas
tiradas al fuego

        nos dibuja la cara
y siempre la visión es de recién nacido

III

la mirada constantemente
perdida   acaracola

        la descorazonan las brasas
        se le ensucia la conciencia
        se deja

peregrina el desencanto con infinita calma
desencanto de una c de fruta a punto en su triste blancura

tiembla
el animal
en tus ojos
de lirio sin idioma

tiembla de dulce
incandescente follaje

IV

Un *déjà vu*
      pero esta vez sin sentido

         boca de espesura
al decir sin sangre:

enmarañado nido del nacer
que fuiste
con un cuerpo de flor negra dado a luz
a las sombras

otro paisaje será el de los ojos
cuando el agrio pezón por fin
           te despierte

V

piel de relámpago
estoy vestida enteramente de brillos

llené mis pulmones
del desgarro que quedó del fuego
respiración y distancia
en un abrazo de araña, de estremecidos

ahora
la noche de prestidigitación volverá a su forma
de caja de doble fondo
para anudarme
otra vez
su collar apenas rojo

que me devuelva incompleta a mi sitio en la tierra
que el sueño pase
como un rumor de hienas

que el cuerpo
un día
se lleve todo.

II

huella de caracoles   la voz

hilos   que la luz tañe

cuando pasa.

II

la muerte se muere de risa pero la vida
se muere de llanto pero la muerte pero la vida
pero nada nada nada

Alejandra Pizarnik

GAZETTE D´AMSTERDAM, 1 DE ABRIL DE 1757

*"... el condenado será finalmente reducido
a cenizas y sus cenizas arrojadas al viento. "*
**Piéces originales et procédures du procés
fait a Robert-Francois Damiens**

Ahora sé que estuve sobre el cadalso.

Mientras duraba el eterno minuto de conciencia
juré recordar cada una de sus caras,
el vago temblor de sus figuras oscuras.

Yo escupí la corona del rey.
Ahora sé que nací para ofrecer esta escena
para que claven en mí su miseria.

*el azufre recorre pesadamente
la impaciencia del hueso
lo devana en su pureza, en su ardor
juega a llagar con cuidado
cada palmo de este cuerpo
para convertirme en polvo*

mi nombre es la mancha atroz que los aturde,
que les quiebra las espaldas

me comen me sorben
deleite de tenazas y caballos
con aceite y fuego

miren este cuerpo deshecho
doy por ustedes mi último latido
pero ¡ bésenme señores, por caridad!
que esto que ya no soy se incendiará de silencio
en un aullido inmenso
desollado de carne y de nombre

siento ahora el alivio descansando en mi voz
más largo que aquel será este suplicio

soy uno con el aire
con la lluvia con que amasan el pan

menos que cenizas
reinando silenciosamente el universo

soy su costado abierto y sangrante,
mis queridos hermanos inocentes.
Yo, Damiens
les hablo desde el viento,
desde esta levedad exquisita.

EL sueño DE La razón

demasiada transparencia para mí

llénenme de cuerpos

>   de agua o de fuego
>   de animales atroces
>   hasta de piedras

pero no de sed
no de viento

saltos para perder la inocencia

I

viendo girar los días como aspas
vacíos
como la lengua de un pordiosero

se le enreda el alma
buscando decir el carnaval
y las miasmas de vivir en este mundo

siempre le fue lejano el dominio de la magia

más bien era ella la que lo invitaba
al desaliño
a dejarse incendiar por los juegos
atragantarse de zoologías imposibles
brotando del vientre de la tela

el pequeño infierno danzante
el allegro de los muslos
las estrellas de óleo como migas
desparramadas por el loco
ceñido en su atuendo de liviandad y de goce

El prestidigitador - El Bosco - 1480

II

El prestidigitador, 1480

los horizontes no nacen en la tierra
ni terminan en el cielo

acunan las criaturas del sueño
pesadillas de prestidigitador en sombras
nervaduras
como venas del desastre

para salvarse de la noche
un conjuro de trama impura
contra el lienzo irrecobrable

Tríptico del jardín de las delicias - El Bosco - 1504

III

Tríptico del jardín de las delicias, 1504

las líneas juegan al espanto

fiesta en fuga
saltos para perder la inocencia
en rojas contorsiones

él las llama

obedecen la desnudez del señor del jardín
le besan la intemperie
–la piel nunca en silencio–
la palpitación los indistingue
los pegotea
hasta volverlos
aquella viscosa materia
del principio

IV

las niñas miran
abrazadas de plumas
las innumerables formas del dolor

miran
impúberes
ajenas   casi blancas
la maravillosa tormenta musical
ebrios ojos en ebrias miradas de compasión
de miedo a morir de cuerpo

tan chiquitas

un resplandor
            pálidas
una nota agudísima que da vértigo
las inaugura con los dientes en plena oscuridad

nadie sale ileso del paraíso

Tríptico de las tentaciones de San Antonio - El Bosco - 1510

V

Tríptico de las tentaciones de San Antonio, 1510

donde las criaturas
cantan el color de caerse de sí
en pleno vuelo

una mancha da lugar a la forma
una noche a las mareas al grito

un caleidoscopio
y su precario teatro
esa ilusión desvestida
donde el miedo el amor y la cruz
son las huellas del mismo animal

Cristo con la cruz - El Bosco - 1516

VI

Cristo con la cruz, 1516

se arrastra por un paisaje de gestos estúpidos

la escena es un cortejo de dientes en ruina
hambre en el aliento
desorbitado por un rictus de piedad

aquel camino
un pesado concierto de palabras que apenas se oyen morir
y un par de manos
sólo uno para las llagas
en ese arrastrarse irrespirable
escritura de astillas en los dedos

dolor o
ilusión

o designio
lavándole las marcas
al cristo de fuego y de aceite en procesión

La nave de los locos - El Bosco - 1500

VII

La nave de los locos, 1500

envuelto en su color tembloroso
la vista ida a un paisaje que no se ve

Hieronymus volvió de un calabozo
como el estómago de un pez
para arrojar su pellejo a las tinieblas

bebió la poca luz escondida en los huesos
como si fuera el último de los tragos

partió con los locos alegres
mar adentro
cuando un arañazo en la frente
lo oscureció de razón.

III

haber amor amado cuyos sus
empinados hombros peculiar penumbra
: nunca, na
(die.

Nada

e.e. cummings

ELLa

para un cuento de E.T.A. Hoffmann

Tre zecchini por un cristal para verte
libertina
fatal
elegida de las sombras

la niña fue vista a través de la ventana
"pálida y rosa como un caracol de mar"
encendidos los ojos de niebla que supo inspirar Herón en sus hijas

como una espesa lluvia, Olimpia
se dibuja entre abejas de oro
y se lleva la conciencia huyendo como una loca descalza

pura y siniestra
obedece axiomas y teoremas
baila
y el corazón que no pulsa

Coppelius, viejo relojero del amor
urdió para el joven desvelado por sus ojos
lo que queda sin nacer del todo, sin morir del todo
como un ridículo ástil del deseo.

después de santiguarse

que te duelan las rodillas

>lo oscuro entre los dientes
>la batalla del roce de tus ropas

y descascarada desunida disfrazada
- la estampita que te dieron en la escuela -
universos que la sangre coagula entre herida
y herida negra
>y es el espejo
el que te viste de intrascendente mueca
no de ciervo
de redondez exhausta
sepia

>misterios de la sed
>bajo siete llaves
>como si la distancia

que te duela cuando hables derrumbamientos
sudor imaginado
cama llena de muñecas

cuando intentes decir cuerpos
lloverá en todos los lugares posibles

santo tedio.

carne

como huesitos de la furia
mi negra y yo
lenta y machacadora

tinieblas casi
infierno
yo acaricio su cuello

que me bamboleo

sólo bastaría conservar el pulso firme
(déjame deseo)

digo que estás partido como una flor

los ojos caen como frutos
como quien se rasura

por favor
de vez en cuando
poder comer sus labios
y deshuesado
como un trompo
un pez un pelo
los calzoncillos húmedos
hasta que todo regrese a su sitio

quiere fuego

digo que estás partido
que hubieran acariciado sexos
en la deslluvia

> por ejemplo: ahora viene mi perro
> apoya el hocico

hazle saber cuánto te quema

> una pierna arqueada levemente

sí
visto de costado caería más
> quiere fuego

hazle saber cuánto te quema

> aún buscamos ese fragmento
> del loco echando querosén
> a su conciencia

> déjame deseo
> que me bamboleo

de vez en cuando
lo terrible   tinieblas casi

ízala tú mi tumba

ahora mira la fosa
serpientes de orín
menos la punta
la puntita

quién pudiera

siete remordimientos flotan
al carnoso ronquido de nalgas

déjame deseo
morder
sus tres soles.

A María del Carmen Colombo

ACTO DE POSESIÓN

I

Regreso a la mirada entre él y la vidente.

Amanece
un cuerpo claro de mujer en la ventana
música de vestirse a contraluz

> *"no hubo otro lugar más que éste para nacer"*

fue demasiado
ser cosa del paisaje de Arlés
y tragar, sucio e inocente como pocos
cada desborde de cariño crecido como boca de pez
a boca de dragones

> *"¿cuál es la parte de la voluntad en todo esto?"*

tintineando las pulseras las rodillas el sexo
se sienta al borde del deseo del loco para mirarlo
sin cruzar las piernas

en el silencio de la cita su lunar es una mancha
medialuz enrarecida por la quietud que
ahora
blanquea el cuarto.

II

iba a besarla
cada vez que los demonios le rozaban los ojos
de filigrana

-el tamaño de la dicha
es el tamaño de tus senos- dijo

atado a su fe en ella
desvistiéndose a carcajadas

la adivinación era un brillo en sus dientes

la vio abrirse oscura
sin compasión y sin medida dejándole en paz el cuerpo
quieto y harto de todo

la piel multiplicada en los espejos
antes de cerrar la puerta

III

busca al padre en los libros
dibuja la misma pregunta

¿cuándo y por qué he de morir?

abandonado el cuerpo como patria
en jirones de la voz

por toda respuesta
una bendición
y rota la mirada y las costillas

siempre había perseguido
la iluminación del cuervo

ser ahogado por la luz

IV

el garfio
un pincel que es una voz una garra
una bruja
con la que nadie se atreve a usar los dientes
ligera y perfecta
en el desorden de las sábanas

ella vidente
lo traspasa para sacarle
los ojos de ángel y algún veneno
guardado en el pecho

el veneno que lo hermana
lejanamente con el lienzo

V

ese revoltijo
de la aparente demencia del color
metido como un huésped en las uñas

un estar alerta de la conciencia siempre en otra parte

con la insistencia del látigo
va y viene en la borrachera de la forma
restalla en la médula
intentando la luz en cada azote

el último lo abandonará en Rodez
sin poder hacer preguntas

VI

también regreso al cuadro de los cuervos.

aunque le pidan que entregue sus visiones
con el cuerpo hecho ceremonia
llegar a ella
sería
deshacerla en sirena
matarse de sal
sin haber probado el almizcle de su cuerpo

        no hubo otro traje de miseria
más que éste para nacer

otro sudor
otra ceguera

ningún hilo de razón más delgado por cortar
vueltos
un silencio de rabia
contra el mismo padre.

Otros títulos en Poesía:

- Interlunio (César Pérez Lugones)
- El animal propio (Martín Loire)

Colección Convocatoria Anual iROJO:

- Anatomía Rota (Cynthia Sabat)
- La manera en que decimos sombra (Martín Loire / Noelia Rivero)
- Semánticasur (Ramiro Vicente/ próxima aparición)

Colección Antología
- El grito de Medusa I (Autores varios)

Este libro se terminó de imprimir en
el mes de Febrero de 2006
en DOCUPRINT S.A.
Rivadavia 701 (1002), BuenosAires
Argentina
www.docuprint.com